HOJE QUEM COZINHA SOU EU

CHEF MIRIM

Agradecemos a participação de crianças
Ligia Wolovelsky e Luca Stéfano.

Chef mirim
Hoje quem cozinha sou eu
Pía Fendrik

Fotografias: Ángela Copello
Estilo e decoração de pratos e passo a passo: Pía Fendrik
Edição: Florencia Carrizo
Tradução: Sandra Martha Dolinsky
Revisão: Laila Guilherme
Design de capas e miolo: Verónica Álvarez Pesce
Diagramação: Verónica Alvarez Pesce
Retoque digital: Julia Bergamaschi

Catapulta

Catapulta Editores Ltda.
R. Passadena, 102
Parque Industrial San José
CEP: 06715-864, Cotia – São Paulo
infobr@catapulta.net
www.catapulta.net

ISBN 978-987-637-490-3

Primeira edição. Quinta reimpressão.
Impresso na China em julho de 2023.

Fendrik, Pía
Chef Mirim : Hoje quem cozinha sou eu / Pía Fendrik ; fotografías de Angela Copello. - 1a ed . 5a reimp. - Ciudad Autónoma de Buenos Aires : Catapulta , 2023.
64 p. ; 24 x 16 cm.

Traducción de: Sandra Martha Dolinsky.
ISBN 978-987-637-490-3

1. Cocina. 2. Cocina para Niños. 3. Cocina Internacional. I. Copello, Angela, fot. II. Dolinsky, Sandra Martha, trad. III. Título.
CDD 641.562

HOJE QUEM COZINHA SOU EU

CHEF MIRIM

Pía Fendrik

Catapulta
junior

SUMÁRIO

CHEF MIRIM

HOJE QUEM COZINHA SOU EU

Um livro de culinária para crianças com deliciosas receitas de pratos tradicionais, escolhidas e apresentadas pela reconhecida culinarista Pía Fendrik.

12 receitas para você fazer pratos salgados e doces de 6 países diferentes.

ARGENTINA • ITÁLIA

BRASIL • FRANÇA

MÉXICO • ESPANHA

Pratos tradicionais que todos querem aprender a fazer, dirigidos para crianças que gostam de ajudar os adultos na cozinha ou fazem sucesso com seus pratos.

Seja criativo na cozinha e divirta-se compartilhando suas delícias com seus amigos e familiares. Não há recompensa maior que ver seus convidados pedindo mais um pouquinho.

ESTE LIVRO TRAZ

Um batedor de metal.

Uma colher de pau.

Um pão-duro.

Um rolo de macarrão.

Uma fôrma para tortinha.

Esses utensílios só vêm inclusos no formato caixa.

5 CONSELHOS
PARA QUE SEUS PRATOS FAÇAM SUCESSO

1. Antes de começar a cozinhar, cheque se tem todos os ingredientes necessários.
2. Respeite as quantidades e medidas indicadas nas receitas. Para isso, utilize sempre um copo medidor ou uma balança, se tiver.
3. Siga os passos indicados nas receitas na ordem certa. Assim, vai garantir o sucesso de seus pratos.
4. Mantenha a superfície de trabalho e os utensílios sempre limpos.
5. Ponha sempre muita dedicação e amor em seus pratos. Seus convidados vão notar.

LEIA ESTAS DICAS
NA COMPANHIA DE UM ADULTO

10 MEDIDAS DE SEGURANÇA PARA RECORDAR ANTES DE ENTRAR NA COZINHA

1. Tenha sempre um adulto responsável por perto toda vez que for cozinhar.
2. Lave sempre as mãos antes de manipular os alimentos. Lave sempre as verduras e as frutas antes de cozinhá-las.
3. Use pegadores ou luvas de cozinha sempre que for mexer em algo quente, para evitar queimaduras.
4. Use sempre sapatos fechados, para evitar cortes ou queimaduras nos pés.
5. Use um avental de cozinha para não manchar sua roupa.
6. Se for usar uma batedeira ou qualquer outro artefato elétrico, não se esqueça de desligar a tomada imediatamente assim que terminar de usá-lo.
7. Use uma tábua para vegetais e outra para carnes. E não se esqueça de lavar os utensílios ao passar de um para outro.
8. Preste sempre atenção à data de vencimento que aparece na embalagem dos ingredientes que for utilizar.
9. 🔥 este símbolo situado na parte superior das páginas indica os passos que exigem o uso do fogão ou do forno, e que deverão ser realizados por um adulto.
10. Quando usar o fogão, ocupe primeiro as bocas do fundo. Se usar as da frente, não deixe o cabo das panelas e das frigideiras virado para fora do fogão; assim, evitará esbarrar nelas quando circular pela cozinha.

EMPANADAS

ARGENTINA

EMPANADAS DE CARNE

INGREDIENTES

Para 12 empanadas

- 2 cebolas médias
- ½ pimentão vermelho
- 2 talos de cebolinha
- 1 colher (sopa) de azeite de oliva
- 400 g de carne de boi magra moída
- ½ colher (sobremesa) de páprica doce
- 1 colher (sobremesa) de chili em pó
- 12 discos de massa para empanadas
- 1 ovo batido
- Sal e pimienta

RECHEIO

2-3

1. Pique a cebola e corte o pimentão em cubinhos. Corte a cebolinha em rodelas.

2. Aqueça uma frigideira e verta o azeite de oliva. Quando o azeite estiver quente, acrescente a cebola, o pimentão e a cebolinha e refogue por 2 minutos. A seguir, tempere com sal e pimenta.

3. Junte a carne, a páprica e o chili em pó e cozinhe tudo por cerca de 10 minutos, até que a carne fique marrom.

4. Coloque o recheio refogado em uma vasilha e reserve.

MONTAGEM

4

1. Quando o recheio estiver frio, pegue uma porção com uma colher e coloque-a perto de uma das bordas da massa de empanada. Coloque um pouco de água em uma xícara, molhe a ponta dos dedos indicador e médio e passe-as por uma das bordas da massa.

2. A seguir, dobre-a ao meio, cole as bordas uma na outra e pressione-as com um garfo para selá-las.

3. Coloque as empanadas fechadas em uma assadeira forrada com papel-manteiga.

4. Pincele as empanadas com o ovo batido e asse-as em forno preaquecido a temperatura alta (200 °C) até que dourem, entre 20 e 30 minutos.

DICA

VOCÊ PODE FAZER SUA PRÓPRIA MASSA PARA EMPANADAS. LEIA A RECEITA DA MASSA DE QUICHE LORRAINE NA PÁGINA 37 E, NO LUGAR DA MANTEIGA, USE GORDURA DE BOI NA MESMA QUANTIDADE.

ARGENTINA

ALFAJORES DE MAISENA

INGREDIENTES

Para 18 alfajores

- 150 g de manteiga à temperatura ambiente
- 150 g de açúcar de confeiteiro
- Raspas de ½ limão
- 6 gemas
- 400 g de fécula de milho
- 100 g de farinha e um pouco mais para a bancada
- 1 colher (sobremesa) de fermento em pó
- 50 ml de água gelada
- 300 g de doce de leite grosso
- 80 g de coco ralado

8

1. Em uma vasilha, bata a manteiga com o açúcar de confeiteiro até que se transforme em uma massa cremosa.

DICA

VOCÊ PODE USAR UMA BATEDEIRA ELÉTRICA PARA BATER MAIS FACILMENTE O CREME DE MANTEIGA.

2. Acrescente a raspas de limão e as gemas, uma a uma, sem parar de bater.

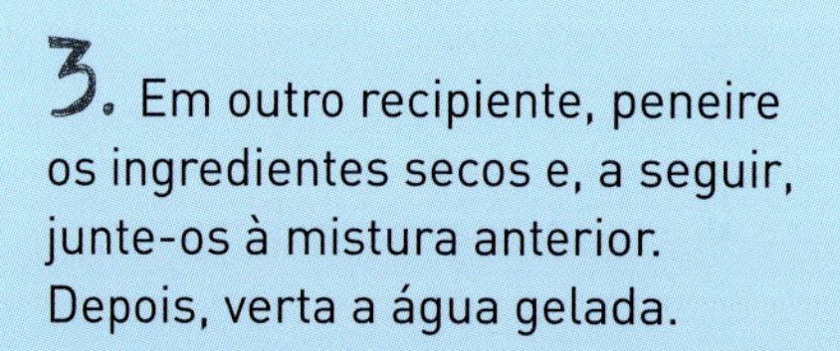

3. Em outro recipiente, peneire os ingredientes secos e, a seguir, junte-os à mistura anterior. Depois, verta a água gelada.

4. Com as mãos, sove a massa para ligar bem os ingredientes. Passe a massa para uma bancada enfarinhada e continue amassando, para obter uma massa lisa.

5. Coloque a massa de novo na vasilha e cubra-a com papel-filme. Deixe-a descansar na geladeira por, no mínimo, 30 minutos.

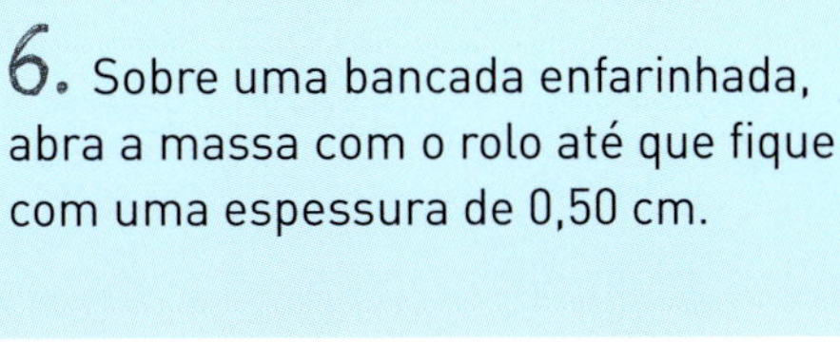

6. Sobre uma bancada enfarinhada, abra a massa com o rolo até que fique com uma espessura de 0,50 cm.

7. Com um cortador redondo de 5 cm de diâmetro, corte os discos de massa para formar a tampa dos alfajores.

8. Coloque as tampas em uma assadeira untada com manteiga e farinha. Asse em forno moderado (160 a 180 °C) durante 12 minutos. Retire a assadeira do forno e deixe as tampas esfriar sobre uma grade.

9. Quando esfriarem, divida os discos em duas partes. Em uma, coloque doce de leite grosso com um saco de confeiteiro e, depois, cubra com a outra parte.

10. Role suavemente a lateral de cada alfajor sobre o coco ralado, para decorar.

ITÁLIA

RISOTO

INGREDIENTES

Para 4 porções

› 1 colher (sopa) de azeite de oliva e um pouco mais para finalizar

› 40 g de manteiga

› 1 cebola picada

› 2 xícaras de arroz arbóreo ou carnaroli

› 5 xícaras de caldo de frango

› 1 colher (sopa) de raspas de lima-da-pérsia

› 1 colher (sopa) de raspas de limão

› 100 g de queijo parmesão ralado

› 2 colheres (sopa) de salsinha picada

› Sal e pimenta

1-2-3-4-5-6

1. Em uma panela quente, coloque o azeite e metade da manteiga e deixe derreter.

3. Junte o arroz e mexa durante 2 minutos, até que obtenha uma cor perolada.

2. Acrescente a cebola e refogue por apenas uns minutinhos, até que fique transparente.

4. Este passo só deve ser realizado por um adulto. Acrescente 1 xícara de caldo quente, sem parar de mexer, e, quando o caldo houver reduzido, acrescente outra xícara e as raspas de lima e limão. Mexa sem parar com uma colher de pau.

5. Este passo só deve ser realizado por um adulto. À medida que o líquido for se reduzindo, acrescente o caldo (sempre misturando) até usar as 5 xícaras.

6. Mantenha no fogo por uns 20 minutos, até que o arroz esteja cozido. Você vai saber quando, ao passar a colher de pau, puder ver o fundo da panela. Retire a panela do fogo.

7. Coloque o queijo parmesão, a salsinha e o resto da manteiga e mexa até que o queijo e a manteiga derretam.

8. Tempere com pimenta-do-reino moída na hora.

9. Sirva o risoto em um prato fundo e acrescente algumas gotas de azeite de oliva.

ITÁLIA

PASTA FROLLA

INGREDIENTES

Para 8 tortas individuais

MASSA

› 300 g de farinha de trigo especial

› 1 colher (sobremesa) de fermento em pó

› 150 g de manteiga gelada cortada em cubos

› 90 g de açúcar de confeiteiro

› 1 ovo

RECHEIO

› 50 g de marmelada

› 2 a 3 colheres (sopa) de água

› Açúcar de confeiteiro para decorar

MASSA

1. Em uma vasilha, coloque a farinha junto com o fermento em pó, a manteiga e o açúcar.

2. Com os dedos ou um garfo, desmanche a manteiga até que se integre com a farinha e o açúcar.

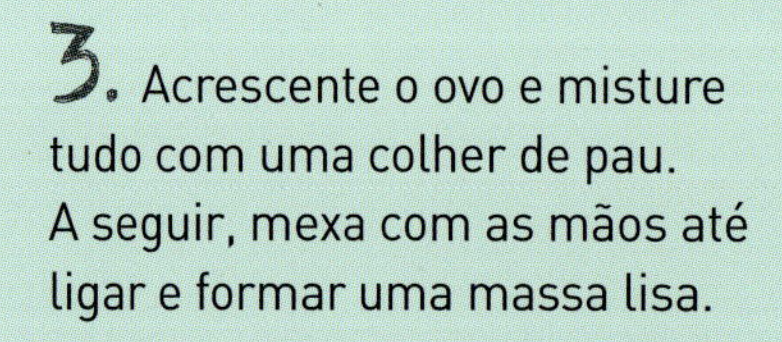

3. Acrescente o ovo e misture tudo com uma colher de pau. A seguir, mexa com as mãos até ligar e formar uma massa lisa.

4. Coloque a massa em uma vasilha e cubra-a com papel-filme. Deixe descansar na geladeira durante 1 hora.

5. Sobre a bancada enfarinhada, abra a massa com o rolo até obter uma espessura de 0,50 cm.

6. Utilize um cortador circular 1 cm maior que o tamanho das fôrmas. Reserve as sobras de massa para a decoração.

7. Forre as fôrmas com os círculos de massa.

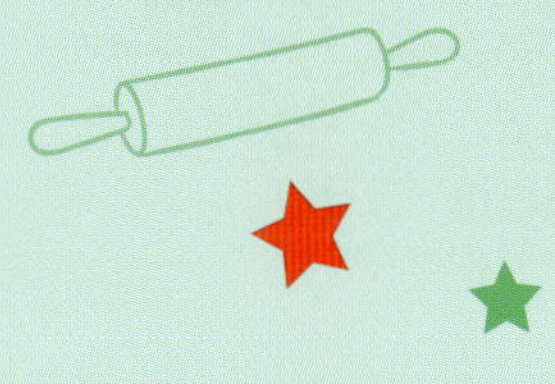

RECHEIO

1-2-5

1. Corte a marmelada em cubos e leve ao fogo suave junto com a água, em uma panela pequena.

2. Cozinhe o doce até que derreta.

3. Com a ajuda de uma espátula, recheie as tortas com a marmelada derretida.

4. Das sobras de massa reservadas, corte tirinhas e outras formas (como estrelas, corações etc.) para decorar as tortinhas.

5. Cole as tirinhas e outras formas na superfície das tortinhas, leve-as ao forno a temperatura moderada (180 °C) e asse até que fiquem douradas, por aproximadamente 20 minutos.

6. Quando as tirar do forno, polvilhe açúcar de confeiteiro nas tortinhas.

BRASIL

MOQUECA DE CAMARÃO

INGREDIENTES

Para 4 porções

› 1 colher (sopa) de azeite de dendê (ou azeite de oliva)

› 1 cebola picada

› 1 dente de alho inteiro

› ½ pimentão verde picado

› 3 tomates picados sem sementes

› 200 ml de leite de coco

› 500 g de camarão limpo e descascado

› 1 colher (sopa) de coentro picado

› Sal e pimenta

1-2-3-4-5-6

1. Aqueça uma panela e verta nela o azeite de dendê. Quando houver aquecido um pouco, refogue a cebola picada com o alho inteiro, até que a cebola fique transparente.

2. Acrescente o pimentão e os tomates. Tempere com sal e pimenta e deixe a mistura cozinhar durante 5 minutos.

3. Utilize uma pinça ou uma colher para retirar o alho.

DICA

VOCÊ PODE SUBSTITUIR O CAMARÃO POR CUBINHOS DE 4 CM DE FILÉ DE ABADEJO.

4. Junte o leite de coco de uma vez só e cozinhe por mais 3 minutos, até ferver.

DICA

PARA LIMPAR O CAMARÃO, RETIRE A CABEÇA, AS PATAS E A CARCAÇA. COM UM PALITO, RETIRE A TRIPA PRETA DO MEIO.

5. Acrescente o camarão e cozinhe por mais 5 minutos. A seguir, apague o fogo.

6. Tempere com coentro picado e misture. Se desejar, sirva arroz branco como acompanhamento para a moqueca.

7. Sirva a moqueca em cumbucas individuais, para que conserve o calor.

DICA

PARA ACOMPANHAR, COLOQUE 200 G DE ARROZ BRANCO EM 400 ML DE ÁGUA, ACRESCENTE 1 COLHER DE SOBREMESA DE SAL E LEVE AO FOGO ATÉ QUE A ÁGUA SEQUE. APROXIMADAMENTE 15 MINUTOS.

BRASIL

BRIGADEIROS

INGREDIENTES

Para 25 brigadeiros

- 380 ml de leite condensado
- 25 g de manteiga
- 170 g de chocolate meio amargo
- 200 g de chocolate granulado para decorar

1-2-3

1. Coloque o leite condensado e a manteiga em uma panela pequena, a fogo baixo.

2. Pique o chocolate meio amargo sobre uma tábua e junte-o ao leite condensado.

3. Com uma espátula ou uma colher de pau, misture até que o chocolate derreta e se integre bem aos demais ingredientes. Continue mexendo mais 5 minutos, até que a mistura desgrude da panela ou quando, ao passar a colher, der para ver o fundo.

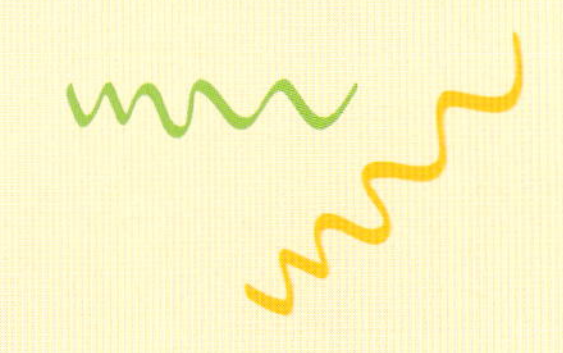

4. Coloque a mistura em uma vasilha e deixe-a esfriar primeiro à temperatura ambiente. Depois, leve-a à geladeira. Deixe gelar por 1 hora, no mínimo.

5. Com uma colher, pegue pequenas porções da mistura e forme bolinhas com as mãos.

EVITE ENROLAR MUITO OS BRIGADEIROS PARA QUE O CALOR DE SUAS MÃOS NÃO DERRETA O CHOCOLATE.

6. Para decorar, passe os brigadeiros pelo chocolate granulado.

7. Reserve os brigadeiros na geladeira até a hora de servir.

FRANÇA

QUICHE LORRAINE

INGREDIENTES

Para 12 tortas individuais

MASSA

- 300 g de farinha de trigo especial
- 1 colher (sobremesa) de sal
- 150 g de manteiga gelada cortada em cubinhos
- 100 ml de água gelada

RECHEIO

- 50 g de queijo gruyère em cubinhos
- 200 g de presunto cozido
- 4 ovos
- 100 ml de creme de leite
- 50 g de queijo parmesão ralado
- 1 pitada de pimenta
- 1 colher (sobremesa) de cebolinha picada

MASSA

1. Em uma vasilha, coloque a farinha, o sal e a manteiga. Com os dedos ou um garfo, desmanche a manteiga até que fique arenosa.

2. Acrescente aos poucos a água gelada e misture até integrar tudo e formar uma massa.

3. Coloque a massa em uma vasilha, cubra-a com papel-filme e leve-a à geladeira por 30 minutos.

4. Abra a massa com um rolo sobre uma superfície enfarinhada.

5. Utilize um cortador redondo 1 cm maior que as fôrmas para cortar a massa.

6. Forre as fôrmas com a massa.

RECHEIO

4

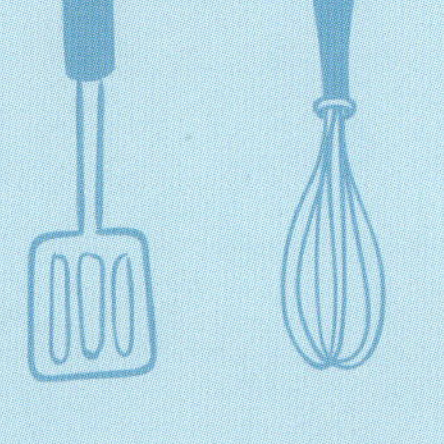

1. Acrescente à massa o queijo gruyère e o presunto cortados em tirinhas ou em cubinhos.

2. Em uma vasilha, misture os ovos, o creme de leite, o queijo parmesão ralado, a pimenta e a cebolinha.

3. Com a ajuda de uma concha, verta a mistura de ovos dentro das tortinhas.

4. Asse as quiches em forno moderado (180 °C) durante 30 minutos.

FRANÇA

PROFITEROLES

INGREDIENTES

Para 18 profiteroles

- 125 ml de água
- 125 ml de leite
- 125 g de manteiga a temperatura ambiente
- 1 pitada de sal
- 1 pitada de açúcar (para a massa) e mais 35 g (para o creme chantili)
- 150 g de farinha de trigo especial
- 3 ovos
- 250 ml de creme de leite
- Gotas de essência de baunilha
- 200 g de chocolate de cobertura derretido

1-2-3-4-5-8

1. Coloque em uma panela a água, o leite, a manteiga, o sal e o açúcar e leve ao fogo médio.

2. Cozinhe até que a manteiga derreta por completo.

3. Junte de uma vez toda a farinha na panela e mexa com uma colher de pau até que todos os ingredientes se integrem.

4. Continue mexendo até que a massa desgrude da panela e fique lisa.

5. Retire a panela do fogo e coloque a massa em outro recipiente. Deixe esfriar.

6. Quando a massa estiver fria, acrescente os ovos um a um. Você vai ver que a massa tenderá a se separar, mas continue mexendo que ela tornará a se unir.

7. Coloque a massa em um saco de confeiteiro com bico liso e faça semiesferas sobre uma assadeira limpa. Com a ponta do dedo molhada na água, abaixe os bicos que se formarão.

8. Asse os profiteroles em forno moderado (180 °C), durante 40 minutos ou até que estejam dourados. Retire do forno e deixe esfriar.

9. Coloque o creme de leite em uma vasilha junto com o açúcar e a essência de baunilha. Bata com a batedeira até que o creme fique bem firme.

10. Corte os profiteroles ao meio e recheie uma das metades com o creme chantili, usando um saco de confeiteiro ou uma colher. A seguir, tampe-os com a outra metade.

11. Para acabar, cubra os profiteroles com chocolate derretido.

DICA

PARA DERRETER O CHOCOLATE DE COBERTURA, PIQUE-O E LEVE-O AO FOGO EM BANHO-MARIA, COMO EXPLICADO NA PÁGINA 61.

MÉXICO

TACOS DE FRANGO COM GUACAMOLE

INGREDIENTES

Para 20 tacos

TORTILHAS

- 130 g de farinha de trigo
- 150 g de farinha de milho
- 1 colher (sobremesa) de sal
- 150 ml de água morna
- 1 colher (sopa) de óleo de milho

RECHEIO

- 1 talo de aipo
- 1 cenoura
- 1 talo de cebolinha
- 2 folhas de louro
- 5 grãos de pimenta
- 2 peitos de frango (sem pele)
- 100 g de queijo fontina ralado
- Sal

GUACAMOLE

- 4 abacates
- Sal
- Suco de 1 lima-da-pérsia ou limão
- ½ cebola picada fina
- 2 colheres (sopa) de coentro fresco picado
- 2 tomates picados

TORTILHAS

1. Em uma vasilha, misture as duas farinhas com o sal.

2. Acrescente a água e mexa com uma colher de pau ou uma espátula, até obter uma massa homogênea. Use as mãos para formar a bola de massa.

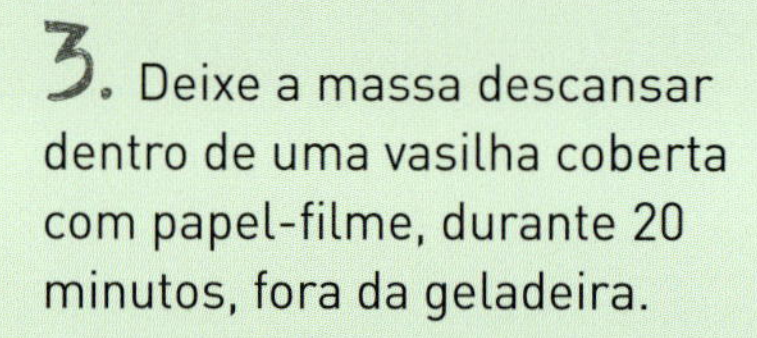

3. Deixe a massa descansar dentro de uma vasilha coberta com papel-filme, durante 20 minutos, fora da geladeira.

4. Divida a massa em 20 bolinhas. Abra-as com um rolo sobre uma superfície enfarinhada para dar a forma das tortilhas.

5. Frite as tortilhas, de ambos os lados, em uma frigideira com um fio de óleo de milho.

VOCÊ PODE SUBSTITUIR
AS TORTILHAS CASEIRAS
POR TORTILHAS COMPRADAS PRONTAS.

RECHEIO

2-3

1. Sobre uma tábua, corte o aipo, a cenoura e a cebolinha em pedaços grandes.

2. Leve ao fogo uma panela com água até a metade e acrescente o louro, a pimenta, o sal, os vegetais cortados e o peito de frango.

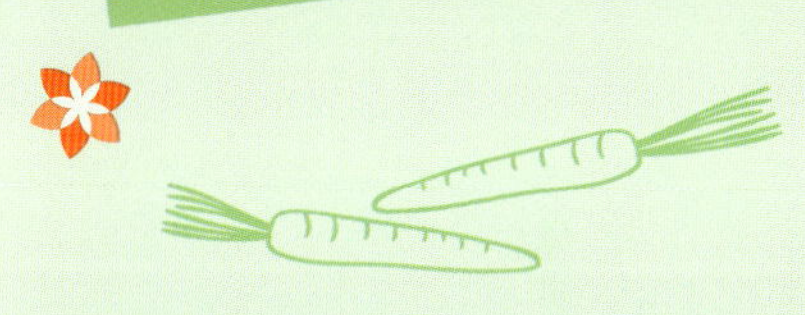

3. Deixe ferver durante 20 minutos e apague o fogo.

4. Quando o caldo esfriar, retire o peito de frango da água.

5. Sobre um prato ou uma tábua, desfie o peito de frango com ajuda de um garfo. Reserve.

GUACAMOLE

1. Corte os abacates ao meio e retire o caroço. Com uma colher, retire a polpa e coloque-a em uma vasilha.

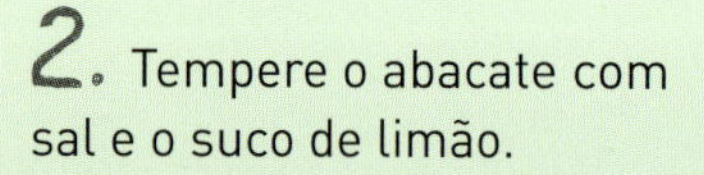

2. Tempere o abacate com sal e o suco de limão.

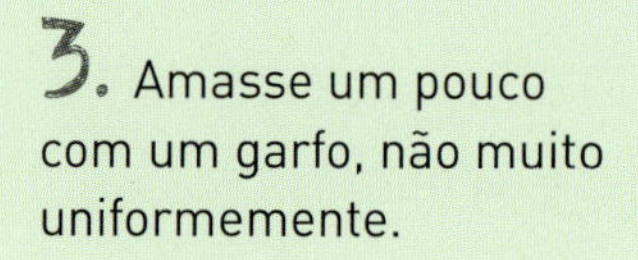

3. Amasse um pouco com um garfo, não muito uniformemente.

4. Acrescente a cebola, o coentro e o tomate e misture.

MONTAGEM

1. Passe o guacamole nas tortilhas.

2. Coloque frango desfiado sobre o guacamole.

3. Polvilhe o queijo ralado e feche os tacos, dobrando-os levemente ao meio.

MÉXICO

BOLO TRÊS LEITES

INGREDIENTES

Para 12 porções

- 4 ovos
- 315 g de açúcar (250 g para o bolo e 65 g para o merengue)
- 250 g de farinha com fermento (ou farinha de trigo especial e 10 g de fermento em pó)
- 100 ml de leite de coco
- 100 ml de leite condensado
- 100 ml de creme de leite
- 4 claras de ovo

4

1. Em uma vasilha, com a batedeira, bata os ovos com 250 g de açúcar até formar um creme grosso. Para se certificar do ponto, levante a batedeira e, com a massa que escorrer, desenhe uma letra sobre a mistura. Se a letra permanecer por alguns segundos, você conseguiu.

2. Em outra vasilha, peneire a farinha e junte-a aos ovos batidos usando uma espátula tipo pão-duro, sempre com movimentos envolventes, para evitar que a mistura murche.

3. Unte com manteiga e farinha uma fôrma retangular de 15 cm x 22 cm, previamente coberta com papel-manteiga.

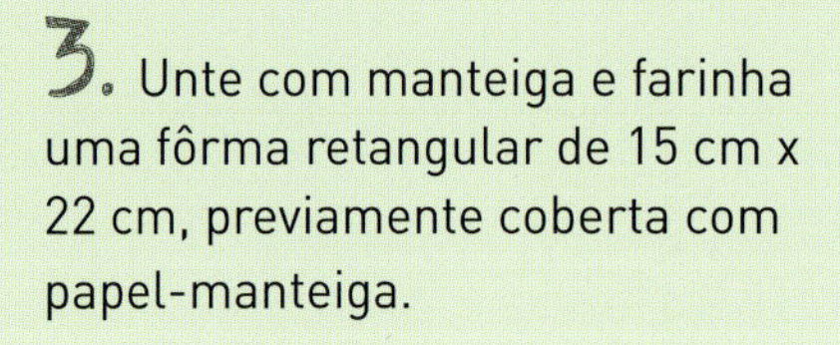

4. Verta a mistura na fôrma e asse em forno moderado (180 °C), durante 30 minutos, ou até que, ao inserir um palito, ele saia limpo.

5. Quando o bolo sair do forno, com um palito ou um garfo espete a superfície muitas vezes (por esses furinhos vai entrar a mistura que você fará no próximo passo).

6. Em um recipiente, misture o leite de coco com o leite condensado e o creme de leite.

7. A seguir, verta a mistura de leites e creme sobre o bolo quente, espalhe e deixe que absorva todo o líquido.

8. Leve o bolo à geladeira por 6 horas.

9. Em uma vasilha, misture as 4 claras com os 65 g de açúcar restantes e com a batedeira bata até formar um merengue bem firme.

10. Coloque o merengue em um saco de confeiteiro com um bico decorado, ou use uma colher para decorar o bolo com o merengue.

DEPOIS DE DECORAR O BOLO, VOCÊ PODE DAR UM ACABAMENTO DOURADO AO MERENGUE SE O LEVAR AO FORNO A UMA TEMPERATURA BEM BAIXA, POR 1 OU 2 MINUTOS. ASSIM, O MERENGUE FICARÁ GRATINADO.

ESPANHA

EMPANADA GALEGA

INGREDIENTES

Para 12 tortas individuais

› 2 colheres (sopa) de óleo de girassol
› 2 cebolas picadas
› 2 cenouras raladas
› 1 pimentão cortado em cubinhos
› 200 g de ervilhas cozidas
› 400 g de atum em lata escorrido
› 2 colheres (sopa) de salsinha picada
› Sal e pimenta
› 3 ovos
› 24 discos de massa para empanadas
› 1 ovo batido

1-2-3-4-11

1. Em uma frigideira quente, verta o azeite e refogue a cebola até que fique transparente.

2. Acrescente a cenoura e o pimentão e continue refogando por mais 2 minutos.

3. Acrescente as ervilhas e o atum e continue refogando por mais 2 minutos.

4. Tempere com sal, salsinha picada e pimenta.

5. Retire a frigideira do fogo, coloque a mistura em uma vasilha e deixe esfriar.

6. Acrescente os ovos levemente batidos e misture tudo.

7. Unte levemente as fôrmas individuais para torta e coloque um disco de massa em cada uma.

8. Acrescente o recheio e cubra com outro disco de massa.

9. Com os dedos, pressione as bordas para que um disco de massa cole no outro, e sele-os apertando as bordas com um garfo.

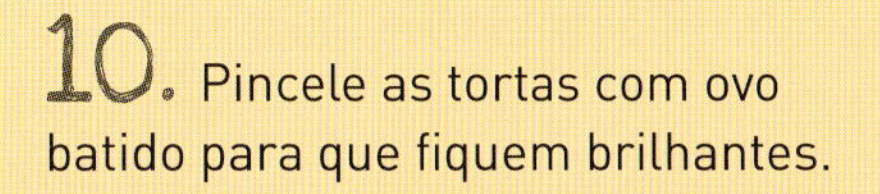

10. Pincele as tortas com ovo batido para que fiquem brilhantes.

11. Asse em forno moderado preaquecido (180 °C) até que fiquem bem douradas.

DICA

VOCÊ PODE FAZER SUA PRÓPRIA MASSA DE EMPANADAS. LEIA A RECEITA DE QUICHE LORRAINE NA PÁGINA 19 E, EM LUGAR DA MANTEIGA, USE GORDURA DE BOI.

C
B
A
D

ESPANHA

FLAN DE BAUNILHA

INGREDIENTES

Para 6 porções

› 300 ml de leite

› 300 g de açúcar

› 1 colher (sobremesa) de essência de baunilha

› 1 lata de leite condensado (200 ml)

› 1 ovo

› 4 gemas

1-5-6-8

1. Em uma panela, coloque o leite e 100 g de açúcar (reserve o resto de açúcar) e leve ao fogo.

2. Quando começar a ferver, retire a panela do fogo.

3. Em uma vasilha, misture as gemas com o ovo, a essência de baunilha e o leite condensado.

4. A seguir, acrescente o leite com o açúcar preparado no passo 1. É importante misturar rápido todos os ingredientes, para evitar que o calor do leite cozinhe os ovos.

5. Este passo só deve ser realizado por um adulto. Em outra panela, coloque 200 g de açúcar e leve ao fogo baixo até que dissolva e adquira uma cor dourada, ou seja, até que se transforme em caramelo. É importante não mexer. Proteja as mãos com luvas para balançar cuidadosamente a panela em círculos, para que o açúcar derreta de maneira uniforme.

6. Este passo só deve ser realizado por um adulto. Cubra as mãos com luvas para evitar queimaduras. Verta um pouco de caramelo em forminhas individuais de 9 cm de diâmetro. Vá virando cuidadosamente as fôrmas para espalhar o caramelo por todas as paredes. Faça isso imediatamente, antes que o caramelo esfrie e endureça.

DICA

O BANHO-MARIA CONSISTE EM COLOCAR UM RECIPIENTE COM OS INGREDIENTES DENTRO DE OUTRO COM ÁGUA, QUE VAI DIRETAMENTE AO CALOR (NO FOGÃO OU NO FORNO).

7. Com a ajuda de uma concha, verta a mistura de leite em cada fôrma.

8. Asse em banho-maria, em forno baixo (160 ºC), durante 1 hora.

9. Retire os flans do forno e deixe esfriar.

10. Quando estiverem frios, leve os flans à geladeira até que solidifiquem.

11. Antes de servir, desenforme-os. Para acompanhar, sirva creme chantilli ou doce de leite.

DICA

PPARA ACOMPANHAR O FLAN, VOCÊ PODE BATER 200 ML DE CREME DE LEITE COM 35 G DE AÇÚCAR. BATA ATÉ OBTER UMA CONSISTÊNCIA LEVE.

Ángela Copello

Nasceu em Buenos Aires (Argentina). Durante muito tempo se dedicou ao paisagismo e, em 1990, começou a trabalhar como fotógrafa profissional. Trabalhou para a revista *Jardín*, como fotógrafa e paisagista.

Suas fotos podem ser vistas nos livros para adultos *Huerta y cocina* e *Frutales y cocina*, escritos por Clara Billoch e publicados pela Catapulta Editores.

Pía Fendrik

Nasceu em Buenos Aires (Argentina). É culinarista e estilista gastronômica. Colaborou com revistas de prestígio, como *Sophia* e *Para ti*. É diretora de arte e food styling de campanhas de várias empresas de gastronomia e alimentos.

Atualmente dá cursos de culinária e publica livros. Seu mais recente lançamento é *Pía Fendrik, recetas simples, placeres compartidos*, publicado pela Catapulta Editores.